这是我的书
It's MY BOOK
7级：400字

了不起的动物

感人的关爱

作者：程以克（Vicki Cheng）
配图：秦志宁（Zhining Chin）

北京语言大学出版社
BEIJING LANGUAGE AND CULTURE UNIVERSITY PRESS

PHOENIX TREE
PHOENIX TREE PUBLISHING INC.

识读 世界 圆圈 一阵阵 追赶 苦

句型 也……也……

字数 404字

dòng wù shì jiè li yǒu hěn duō qí miào de xiàn
动物世界里有很多奇妙的现
xiàng nǐ men kàn zhè shì nán jí zhōu de qǐ é bà
象。你们看，这是南极洲的企鹅爸
ba hé mā ma tā men zhàn chéng yí gè yuán quān yòng
爸和妈妈。它们站成一个圆圈，用
zì jǐ de shēn tǐ wèi hái zi men dǎng zhù fēng hán
自己的身体为孩子们挡住风寒。

qǐ é bà ba bú pà chī kǔ tā men yòng
企鹅爸爸不怕吃苦，它们用

zì jǐ de dù pí bāo zhù jiǎo shang de dàn zài bīng
自己的肚皮包住脚上的蛋，在冰

tiān xuě dì li zhàn lì zhěng zhěng liǎng gè yuè zhè liǎng
天雪地里站立整整两个月。这两

gè yuè zhōng tā men yí dòng yě bú dòng yě bù
个月中，它们一动也不动，也不

chī dōng xi yì xīn yí yì de děng zhe xiǎo qǐ é
吃东西，一心一意地等着小企鹅

men chū shēng
们出生。

huǒ liè niǎo bǎo bao chū shēng yǐ hòu fù mǔ
火烈鸟宝宝出生以后，父母
huì gòng tóng gěi tā wèi nǎi zhè shì yì zhǒng
会共同给它喂“奶”。这是一种
tè bié de fěn hóng sè nǎi shuǐ huǒ liè niǎo bǎo bao
特别的粉红色奶水。火烈鸟宝宝
hē le zhè zhǒng nǎi shuǐ huì yì tiān tiān de zhǎng
喝了这种奶水，会一天天地长
dà zhǎng de hé bà ba mā ma yí yàng piào liang
大，长得和爸爸妈妈一样漂亮。

zhāng yú mā ma tè bié ài hù zì jǐ de hái zi
章鱼妈妈特别爱护自己的孩子。
tā men huì huā hěn duō shí jiān lái zhào gù zì jǐ de luǎn
它们会花很多时间来照顾自己的卵
zǐ lián chī hē dōu gù bu shàng bǐ rú jiā lì fú
子，连吃喝都顾不上。比如，加利福
ní yà zhōu de hǎi li yǒu yì tiáo tè bié de zhāng yú tā
尼亚州的海里有一条特别的章鱼，它
shǒu hù le zì jǐ de luǎn zǐ sì nián wǔ gè yuè kē xué
守护了自己的卵子四年五个月。科学
jiā men guān chá dào zài zhè me cháng de shí jiān li zhè
家们观察到，在这么长的时间里，这
tiáo zhāng yú yì zhí méi yǒu chī guo dōng xi
条章鱼一直没有吃过东西。

bān mǎ de gù shi gèng shì dòng rén zài fēi
斑马的故事更是动人。在非
zhōu cǎo yuán shang yào shi yǒu shī zi zhuī gǎn bān
洲草原上，要是有狮子追赶，斑
mǎ men jiù huì pǎo chéng yí gè dà yuán quān nián qīng
马们就会跑成一个大圆圈，年轻
de bān mǎ pǎo zài wài miàn bǎo hù zhe dà jiā
的斑马跑在外面保护着大家。

shī zi kuài yào zhuī shang lai
狮子快要追上来

de shí hou yì zhī lǎo bān mǎ
的时候，一只老斑马

huì pǎo chu lai zhàn zài cǎo dì zhōng
会跑出来站在草地中

jiān wèi le bǎo hù zǐ sūn
间。为了保护子孙，

tā zhǔ dòng zhàn chu lai ràng shī zi
它主动站出来让狮子

chī diào
吃掉！

qián bian de bān mǎ qún yòng lì de xiàng qián
前边的斑马群用力地向前

pǎo tā men fā chū yí zhèn zhèn de jiào shēng wū
跑，它们发出一阵阵的叫声——呜

wū wū wū xiàng shì xiàng lǎo bān mǎ zhì xiè
呜，呜呜……像是向老斑马致谢，

yě xiàng shì wèi lǎo bān mǎ sòng xíng
也像是为老斑马送行。

1 动物世界里有很多奇妙的现象。你们看，这是南极洲的企鹅爸爸和妈妈。它们站成一个圆圈，用自己的身体为孩子们挡住风寒。

2 企鹅爸爸不怕吃苦，它们用自己的肚皮包住脚上的蛋，在冰天雪地里站立整整两个月。这两个月中，它们一动也不动，也不吃东西，一心一意地等着小企鹅们出生。

3 火烈鸟宝宝出生以后，父母会共同给它喂“奶”。这是一种特别的粉红色奶水。火烈鸟宝宝喝了这种奶水，会一天天地长大，长得和爸爸妈妈一样漂亮。

4 章鱼妈妈特别爱护自己的孩子。它们会花很多时间来照顾自己的卵子，连吃喝都顾不上。比如，加利福尼亚州的海里有一条特别的章鱼，它守护了自己的卵子四年五个月。科学家们观察到，在这么长的时间里，这条章鱼一直没有吃过东西。

5 斑马的故事更是动人。在非洲草原上，要是有狮子追赶，斑马们就会跑成一个大圆圈，年轻的斑马跑在外面保护着大家。

6 狮子快要追上来的时候，一只老斑马会跑出来站在草地中间。为了保护子孙，它主动站出来让狮子吃掉！

7 前边的斑马群用力地向前跑，它们发出一阵阵的叫声——呜呜，呜呜……像是向老斑马致谢，也像是为老斑马送行。

1

2

3

4

5

6

看图讲故事

7